FARKAS FERENC

Correspondances

Huit pièces pour piano
Eight pieces for piano
Acht Stücke für Klavier
Nyolc darab zongorára

EDITIO MUSICA BUDAPEST
H-1370 Budapest, P.O.B. 322 • Tel.: (361) 236-1100 • Telefax: (361) 236-1101
E-mail: emb@emb.hu • Internet: http://www.emb.hu

Ticharich Zdenka emlékének

CORRESPONDANCES

Huit pièces pour piano

1

FARKAS Ferenc
(1905–2000)

2

Allegro
(nervoso, ma con una precisione ritmica)

p
mf
pp
p
mf
sempre cresc.
ff
mp
dim.
p
mf
mf
mf
mp
mf

p
poco a
poco cresc.
f
ff
pp
mf
p
p
f

3

4

Allegretto
p
leggierissimo
mf
p
mf
p
poco rit.
a tempo
pp
cresc.
rall.
f
a tempo
p
2ª volta rall.

5

Andante con moto
p
mf
cresc.
p
stringendo
cresc.
f
tranquillo
pp
movendosi
p
rall.
p
pp

6

mf
sub. p
cresc.
f
mf
sf
molto
p
f
p
molto cresc.
f
p
f

.... Comme des longs échos qui de loin se confondent
Dans une ténébreuse et profonde unité,
Vaste comme la nuit et comme la clarté,
Les parfums, les couleurs et les sons se répondent....
(Baudelaire: Correspondances)

8

f
mf
cre - - scen - - do
f
ff
sempre cre - scen - do

fff
(coll' 8va ad lib.)
ff
(senza 8va)
(ritmo di
tre battute)
mf
dim.
(ritmo di
quattro battute)
p

p
p
mf
cresc.
f
ff
sim.
ff